EL BARCO
DE VAPOR

La despensa mágica

Begoña Oro

Ilustraciones de Dani Montero

sm

fundación sm

La Fundación SM destina los beneficios de las empresas SM a programas culturales y educativos, con especial atención a los colectivos más desfavorecidos.

Si quieres saber más sobre los programas de la Fundación SM, entra en
www.fundacion-sm.org

LITERATURA**SM**•COM

Primera edición: octubre de 2014
Décima edición: mayo de 2018

Gerencia editorial: Gabriel Brandariz
Coordinación editorial: Paloma Muiña
Revisión editorial: Carolina Pérez
Coordinación gráfica: Lara Peces

© del texto: Begoña Oro, 2014
© de las ilustraciones: Dani Montero, 2014
© Ediciones SM, 2015
  Impresores, 2
  Parque Empresarial Prado del Espino
  28660 Boadilla del Monte (Madrid)
  www.grupo-sm.com

ATENCIÓN AL CLIENTE
Tel.: 902 121 323 / 912 080 403
e-mail: clientes@grupo-sm.com

ISBN: 978-84-675-7695-5
Depósito legal: M-34034-2014
Impreso en la UE / *Printed in EU*

Para María Oro,
para que siembre (y recoja)
cosas bonitas.

¡Hola!
Soy Elisa.
Y os presento a...

LA PANDILLA DE LA ARDILLA

NORA

Nora es tímida.
Le **encantan** la naturaleza,
las cosas bonitas,
los cuentos de su abuela
y los libros.

AITOR

A Aitor también le gustan
los libros, la música...
y es un aventurero.
A veces saca versos
de dentro del sombrero.
Y es que Aitor es nervioso
y medio poeta.

IRENE

Irene es tan nerviosa
como Aitor... o más.
Irene es tan «más»
que le encantan las sumas,
el fútbol y la velocidad.
Pero hasta una deportista veloz
necesita calma de vez en cuando.

ISMAEL

Ismael es experto
en mantener la calma,
comer piruletas, pintar
¡y hacer amigos!
¡Ah! A veces
(muchas veces)
se olvida de cosas.

RASI

¿Y yo?
¿Nadie
va a hablar
de mí?

«¿Dónde está? ¿Dónde está?».
La ardilla Rasi daba vueltas y vueltas.
Llevaba días buscándola.

«¿Dónde está? ¿Dónde está?».
Primero arañaba la tierra
con sus largas uñas.
Después escarbaba un poco.

–¿Qué haces, Rasi?
–le preguntó Irene al verla–.
¿Estás afilándote las uñas?
Irene se miró sus propias uñas.

–¿Qué haces, Rasi? –le preguntó Nora–.
¿Estás cavando un túnel?

Nora se agachó a mirar por el agujero.

–¿Qué haces, Rasi?
–preguntó Aitor–.
¿Estás haciendo un campo
para jugar a las canicas?
    Aitor lanzó una canica.
La canica rodó y cayó
justo dentro del agujero.

Ismael acertó:

–¿Qué haces, Rasi? –le preguntó–.
¿Estás buscando algo?

Rasi giró la cabeza y dijo:

–Hiii, hiii.

Rasi buscaba algo.
Buscaba algo que había enterrado
hacía mucho tiempo.
Antes de que empezara el invierno.
Estaba segura de haberlo dejado allí.
Se acordaba perfectamente.

Era comida.

Las personas guardan comida
en los armarios. Rasi no tenía armarios,
pero tenía una despensa personal.
Su despensa estaba en el colegio,
bajo la tierra del patio.

Cada otoño,
Rasi enterraba nueces y avellanas.
Las guardaba para cuando llegara el invierno.
Luego, cuando tenía hambre, iba a buscarlas.
Y las encontraba. Siempre. Todas.

Menos esa.

La recordaba muy bien.

Era una avellana especial. Más grande.

De un marrón más claro, casi color miel.

Tenía una forma perfecta de corazón.

Cuando la guardó, Rasi pensó:

«Me la reservaré para el final.

Así celebraré que llega la primavera».

Y ahora no la encontraba.

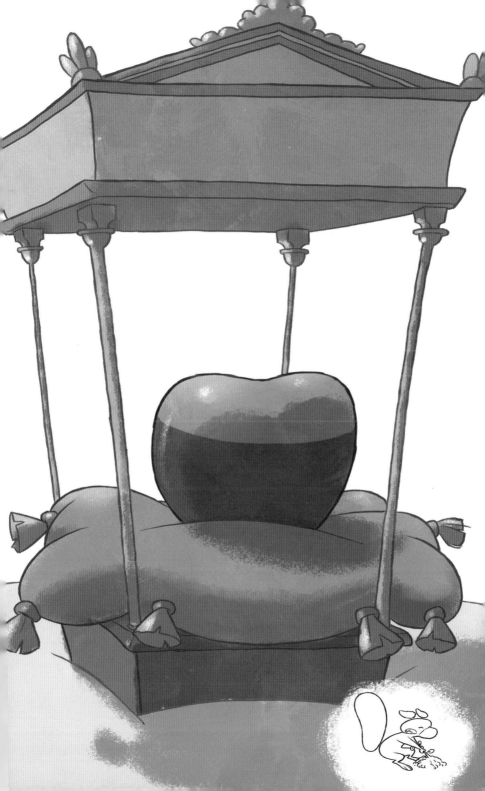

Elisa salió al recreo.
–¿Qué hacéis, chicos?
–saludó a la pandilla.
Todos señalaron a Rasi.

–¿Qué haces, pequeña?
–Hiii, hiii, hiii –dijo Rasi.
Y se subió al hombro de Elisa.

–Parece que busca algo... –dijo Ismael.

–Y parece que no lo encuentra –terminó Aitor.

–Podríamos ayudarla –propuso Nora.

Todos miraron al suelo fijamente.
Vieron una piedra gris,
dos hormigas negras,
un trébol verde (de tres hojas)...

–¡Qué difícil es encontrar algo
cuando no sabes lo que buscas! –dijo Irene.
Rasi observaba todo desde el hombro
de Elisa.

–Qué raro –murmuró Elisa.

–¿El qué? –preguntaron todos.

Elisa señaló al suelo:

–Mirad.

–Una plantita –dijo Irene–.
¿Qué tiene de raro?

–Conozco bien el patio.
Antes no estaba. Y yo no la planté
–explicó Elisa–. Además,
ahora puede parecer una plantita,
pero pronto será... un árbol.

–¿Un manzano? –dijo Ismael.
–¿Un cerezo? –preguntó Irene.
–¿Un peral? –propuso Aitor.
–¿Un castaño? –preguntó Nora.

–Uno recoge lo que siembra
–dijo Elisa–. Si plantas manzanas,
salen manzanos. Pero si plantas manzanas,
no nacen naranjos.

–¿Entonces es un naranjo?
–preguntó Aitor.
    –No lo sé –dijo Elisa–.
El problema es que yo no planté nada ahí.
Habría que saber qué plantaron.

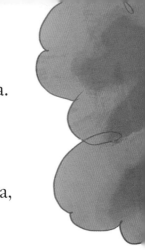

Nora se agachó junto a la planta.
La examinó con atención.
A sus amigos no les extrañó.
Nora sabía muchísimo de árboles.
Si alguien podía decir qué árbol era,
esa era Nora.

Y así fue. Por fin, dijo:
—Este árbol es… un avellano.
¡Alguien sembró aquí una avellana!
—Pero ¿quién? —preguntó Aitor.

Al momento, Rasi bajó del hombro
de Elisa y se puso a dar vueltas
alrededor del pequeño avellano gritando:
    –Hiii, hiii.
    –¡Ya sabemos quién ha sido! –dijo Nora.

–O sea que eso es lo que buscabas, Rasi:
tu avellana –comentó Ismael.

–Bueno, míralo por el lado bueno
–dijo Irene–. Este año has perdido una avellana,
pero cuando el árbol crezca, ¡ganarás un montón!
Tú, y todos los demás.

Ya en su cuartito,
Rasi se acurrucó a dormir en su sombrero.
    «Cuando crezca el avellano,
dormiré en una rama, y durante el invierno,
en un hueco del tronco», pensó.
    Sus ojos brillaron con orgullo.
Rasi se había construido su propia casa.

Aquella noche,
Rasi soñó que plantaba
la única cosa en el mundo
que le gustaba más que las nueces
y las avellanas: una galleta.

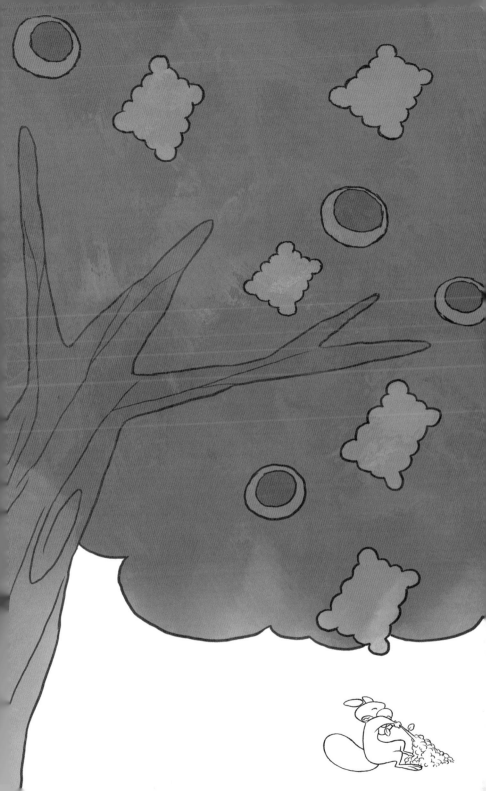

Pero no fue la única
que soñó cosas raras.

Fue una noche
de lo más fructífera.

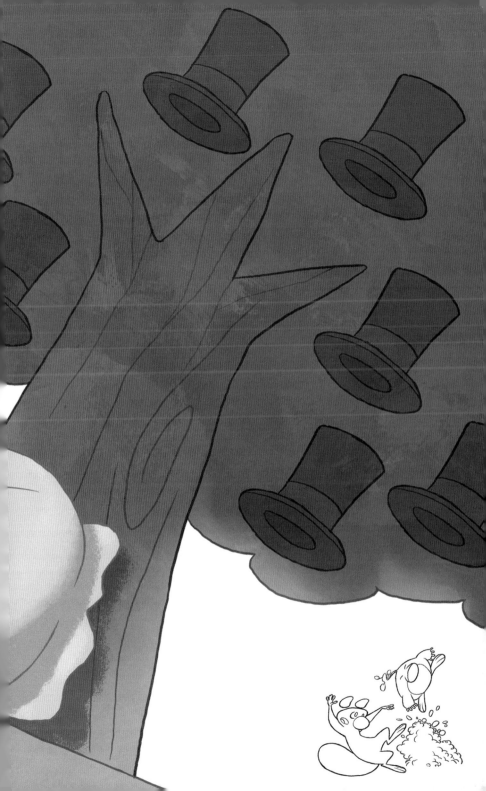

Irene se levantó con agujetas.
Ismael, con dolor de tripa.
Aitor se levantó cantando
y Nora se levantó volando.
Uno recoge lo que siembra.

¿Y tú?

Conviértete en un miembro más
de la pandilla de la ardilla.
¿Qué plantarías tú?
Dibuja tu árbol imaginario favorito.
¡Puede dar lo que más te guste!

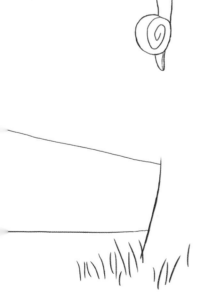

TE CUENTO QUE DANI MONTERO...

... siempre está soñando, dormido o despierto. De pequeño viajaba en coche muy a menudo, y mientras los demás se entretenían escuchando música o charlando, él, con la vista fija en el paisaje, dejaba volar su imaginación. Hoy le pasa igual, en el coche o en la cocina, mientras dibuja o en una reunión de amigos.

A veces, alguno de esos sueños se ha hecho realidad, como cuando se encontró con una cierva en mitad del bosque. Era enorme, majestuosa, pero se dejó acariciar e incluso comió de su mano. Fue una experiencia inolvidable. Tampoco olvidará aquel ternero al que ayudó a nacer y al que alimentó durante todo un verano. Los sueños y el amor por los animales son una parte importante de la vida de Dani.

Dani Montero nació en Catoira (Pontevedra). Sus inicios profesionales fueron en el campo de la animación, tanto en largometrajes como en series. Ha sido galardonado con diversos premios en animación, caricatura y cómic.

Si quieres saber más sobre él, visita su blog:

www.danimontero.blogspot.com

TE CUENTO QUE BEGOÑA ORO...

... una vez soñó con un árbol lleno de relojes. No es que le gusten especialmente los relojes, ¡hace años que no lleva! Pero le gusta todo lo demás. Le gusta tanto que siente que le falta tiempo para disfrutar de todas las cosas buenas que hay en la vida. Con eso sueña: con tener más tiempo para jugar al fútbol con su hijo, leer, escribir, ir en bicicleta, bailar, tocar el piano, descubrir mariposas en las flores y ardillas en los árboles... Incluso con un poco más de tiempo para soñar (y, de paso, dormir).

Begoña Oro nació en Zaragoza y trabajó durante años como editora de literatura infantil y juvenil. Ha escrito y traducido más de doscientos libros: infantiles, juveniles, libros de texto, de lecturas... Además, imparte charlas sobre lectura, edición o escritura.

Si quieres saber más sobre Begoña Oro, visita su web:

www.begonaoro.es

Si te ha gustado
este libro, visita

www.
literatura**sm**
.com

Allí encontrarás:

- Un montón de libros.
- Juegos, descargables y vídeos.
- Concursos, sorteos y propuestas de eventos.

¡Y mucho más!

 ## Para padres y profesores

- Noticias de actualidad, redes sociales
  y suscripción al boletín.

- Propuestas de animación a la lectura.

- Fichas de recursos didácticos y actividades.